FICHE DE LECTURE

DOCUMENT RÉDIGÉ PAR LISE AGEORGES
ENSEIGNANTE, MAITRE EN LETTRES MODERNES
(UNIVERSITÉ PARIS-SORBONNE)

La Place

ANNIE ERNAUX

Annie Ernaux
Écrivaine française

- **Née en 1940 à Lillebonne**
- **Quelques-unes de ses œuvres :**
  Les Armoires vides (1974), roman
  La Place (1984), roman
  Une femme (1988), roman

Née en 1940 à Lillebonne, Annie Ernaux passe toute son enfance et sa jeunesse à Yvetot, en Normandie. Issue de parents petits commerçants, elle est élevée dans un milieu social modeste. Grâce à de brillants résultats scolaires, elle intègre l'Université de Rouen et devient professeure de lettres modernes. En tant qu'auteure, Annie Ernaux privilégie le genre autobiographique et s'inscrit dans une démarche sociologisante. À travers la singularité de ses expériences, elle recherche l'expression collective d'une certaine réalité historique et sociale.

La Place
Une plongée dans le monde des petits commerçants

- **Genre :** roman
- **Édition de référence :** *La Place*, Paris, Gallimard, coll. « Folio », 1986, 113 p.
- **1ʳᵉ édition :** 1984
- **Thématiques :** monde des ouvriers et des commerçants, pauvreté, guerre, classe sociale, famille

Né du besoin de l'auteure d'écrire sur son père après la mort de celui-ci, le livre retrace la vie d'un homme issu du monde rural et devenu petit commerçant. Refusant tout sentimentalisme, Annie Ernaux évoque son père et sa relation avec lui de façon détachée et distante, et vise, par le dénuement de l'écriture, une certaine objectivité. Au-delà de la dimension biographique et personnelle du récit, *La Place* poursuit un but sociologique : l'étude du milieu des petits commerçants dans les années 40-70. L'ouvrage a été récompensé par le prix Renaudot en 1984.

RÉSUMÉ

Le père de la narratrice, qui n'est autre qu'Annie Ernaux, est né dans un milieu paysan. Enfant, il ne sait ni lire ni écrire et doit quitter l'école à l'âge de 12 ans pour travailler. Il est d'abord charretier puis vacher à la ferme. Sa mère, elle, travaille à la maison comme tisserande. À 18 ans, il rentre au régiment pendant la Première Guerre mondiale. Il découvre Paris, rencontre d'autres gens et quitte définitivement le monde agricole.

Au sortir de la guerre, il devient ouvrier dans une corderie. Là, il rencontre sa femme, la mère de la narratrice. Une fois mariés, ils louent un logement à Yvetot et ont leur première fille qui décèdera quelques années plus tard de la diphtérie. La mère reste à la maison où elle s'ennuie tandis que le père travaille comme couvreur. Elle propose alors à son mari d'ouvrir un petit commerce. Pour ce faire, ils s'installent dans un village ouvrier proche du Havre et y démarrent une activité de café-épicerie. Malheureusement, l'enthousiasme des premiers jours cède rapidement la place à l'ennui. Le commerce ne rapporte pas suffisamment d'argent et le père est obligé de travailler de nouveau comme ouvrier. Il entre alors aux raffineries de pétrole Standard où il devient contremaître, tandis que sa femme tient seule le commerce.

Peu de temps après éclate la Seconde Guerre mondiale et nait leur seconde fille, Annie Ernaux. Dans ce contexte difficile, la famille connait une période incertaine, mais heureuse. Le père joue un rôle dans le ravitaillement et se sent utile. Après la guerre, ils retournent à Yvetot. Le père travaille tout d'abord au remblaiement des trous laissés par les bombes, puis ils font l'acquisition d'un café-alimentation. Le père quitte alors définitivement le monde ouvrier. Peu à peu, il prend conscience de sa fonction sociale en travaillant dans le commerce. Leur niveau de vie s'améliore : ils ont désormais accès au confort moderne.

Malgré les semblants de bonheur et de sérénité, l'univers familial décrit par la narratrice apparait étriqué et crispé. Le père se sent inférieur et est obsédé par la peur de commettre un impair ou une erreur de français qui trahirait ses origines paysannes. Il adopte alors une attitude de repli sur soi face aux évolutions sociales. À travers la description de ses gestes quotidiens, la narratrice nous livre le portrait d'un homme rude aux manières campagnardes. Paraitre paysan alors qu'il ne l'est plus est source d'angoisses et de disputes dans le couple. Peu à peu, le quartier où vit la famille s'embourgeoise, alors que le café se maintient tant bien que mal grâce à la clientèle ouvrière.

Lorsqu'Annie a l'âge d'entrer au lycée, elle pénètre dans un monde totalement différent. Elle découvre la littérature, fait connaissance avec l'univers de la petite bourgeoisie et s'éloigne progressivement du milieu d'où elle vient. Elle passe ses journées à écouter de la musique et à lire des livres. La rupture s'accroit entre le père et la fille tandis que cette dernière se rapproche de sa mère. Au retour d'une colonie de vacances, Annie se rend compte que son père a vieilli. Par ailleurs, son état de santé commence à se dégrader et on lui détecte un polype à l'estomac. Après l'opération, il se retrouve diminué physiquement et devient obsédé par la nourriture.

Annie entre à l'École normale de Rouen, mais abandonne en cours d'année pour partir quelque temps à Londres. De retour à Rouen, elle s'inscrit en licence de lettres. Pendant les vacances d'été, elle invite des amies de l'université à Yvetot. Son père fait tout pour les satisfaire et montrer qu'il a du savoir-vivre.

Quelque temps plus tard, Annie présente son futur époux, un étudiant en sciences politiques, à sa famille. Le père ressent une grande fierté à l'idée de faire la connaissance de son futur gendre. Pour compenser l'écart culturel entre eux, il aide le jeune ménage à s'installer. Une fois le mariage célébré, le couple part vivre à Annecy et ne revient que très rarement à Yvetot. Élevé dans un milieu bourgeois, le mari d'Annie ne trouve aucun intérêt à visiter la famille de sa femme. Elle y retourne donc toute seule de temps en temps. Avec l'apparition du premier supermarché à Yvetot, le père envisage de vendre son petit commerce pour profiter du temps qu'il lui reste à vivre.

Lors d'une visite d'Annie chez ses parents, le père tombe malade. Le docteur annonce qu'il faut le transporter à l'hôpital de Rouen, mais la mère refuse de voir la réalité en face et essaie de se convaincre que ce n'est qu'un problème passager. Son état de santé empire et il succombe rapidement à la maladie. La famille se retrouve pour l'organisation des funérailles dans la demeure des parents. Les habitués du café viennent commenter la triste nouvelle et apporter leur soutien. Annie a la sensation que tous ces préparatifs n'ont aucun rapport avec son père. Après la célébration de la messe et l'enterrement, les gens du quartier se retrouvent au café pour partager un repas.

Les jours suivants, la narratrice reste avec sa mère pour l'aider dans les démarches et les formalités. Par ailleurs, celle-ci décide de fermer le commerce et part vivre dans un studio proche du centre. De retour chez elle, Annie prend conscience de la nécessité d'écrire l'histoire de son père et la relation qu'elle entretenait avec lui. Rejetant le genre romanesque, inapproprié pour ce projet, elle décide de se cantonner au récit des faits et gestes, et de fuir le lyrisme.

ÉTUDE DES PERSONNAGES

LE PÈRE

Le père est la figure centrale du livre autour de laquelle se fixe toute la narration. L'auteur nous propose un portrait de son père, fait à partir de paroles et de gestes du quotidien, d'instantanés de l'époque, à travers lesquels transparaissent les limites d'une « vie soumise à la nécessité » (p. 24).

Fils de paysans, le père quitte l'école à l'âge de 12 ans pour travailler comme vacher dans une ferme. À 18 ans, il rentre dans le régiment et quitte définitivement le travail de la terre. Toute sa vie, il tâche de dissimuler ses origines paysannes.

Devenu ouvrier, il rencontre sa future femme dans l'usine où il travaille et s'installe avec elle à Yvetot. Cherchant à s'échapper de sa condition d'ouvrier, il achète un fonds de commerce et ouvre un café-alimentation.

Malgré la satisfaction d'avoir gravi un échelon sur l'échelle sociale, il est en permanence tiraillé entre ses origines et son nouveau statut : « Il cherchait à tenir sa place. Paraître plus commerçant qu'ouvrier. » (p. 45) Contraint à jouer un rôle, le père a peur qu'un mot de travers, un regard déplacé ne le trahissent : « La peur d'être *déplacé*, d'avoir honte. » (p. 59)

La relation entre le père et la fille change à partir du moment où celle-ci grandit et découvre le monde des livres et de la culture. Cet univers est étranger au père : « Les livres, la musique, c'est bon pour toi. Moi je n'en ai pas besoin pour vivre. » (p. 83) Se creuse alors entre le père et la fille une certaine distance qui se manifeste par l'incapacité à communiquer.

Dans son portrait, la narratrice n'essaie pas de rentrer dans l'intériorité du personnage, elle nous livre « les signes objectifs d'une existence » (p. 24) qu'elle a partagée. Peu de sentiments et d'émotions dans l'évocation de son père, mais une observation minutieuse des détails qui font sens.

LA MÈRE

La mère vient d'un milieu modeste. À l'époque où elle rencontre son futur mari, elle s'habille et se coiffe à la mode pour paraitre moderne. Elle n'hésite pas à s'affirmer : « Une de ses phrases favorites : "Je vaux bien ces gens-là". » (p. 37)

C'est elle qui lance l'idée du commerce et permet ainsi au couple de s'extraire du monde ouvrier. Elle a l'ambition de monter sur l'échelle sociale et la possession du café-alimentation représente pour elle le moyen de s'élever au-dessus de sa condition d'ouvrière.

Fière de sa réussite, elle l'assume pleinement (« Patronne à part entière, en blouse blanche », p. 43) et prend le dessus sur le père (« Elle lui faisait la guerre pour qu'il retourne à

la messe [...], pour qu'il perde ses mauvaises manières»,
ibid.). Le père l'admire car elle est capable de «franchir les
barrières sociales» (*ibid.*) et d'aller où elle veut.

Cette différence d'aisance entre le père et la mère apparait
également dans leur rapport à la langue. Le père refuse
d'employer des mots «à la mode» alors que la mère est
attentive et réceptive aux évolutions de son temps.

La relation mère-fille est assez peu évoquée dans le livre,
mais on observe cependant que plus la fille grandit,
plus les liens se resserrent entre les deux femmes, et plus
ils se distendent avec le père.

LA FILLE

La fille est à la fois personnage et narratrice. En effet,
elle raconte sa propre histoire à travers la biographie qu'elle
fait de la vie de son père. Il y a donc la fille-personnage
et l'auteure-narratrice.

La fille-personnage

Nous avons assez peu d'informations sur le personnage
de la fille. Elle est présente, mais elle a plus un rôle de
témoin que de protagoniste dans l'histoire de son père.

La relation entre le père et la fille évolue lors du passage
de l'enfance à l'adolescence. Enfant, la fille semble proche
de son père et partage avec lui des moments simples,
mais joyeux, décrits sous la forme d'images fugaces : « Il me

portait sur ses épaules en chantant et en sifflant » (p. 49),
« Il me conduisait de la maison à l'école sur son vélo. »
(p. 112)

En entrant dans l'adolescence, la fille pénètre également
dans le monde petit-bourgeois et délaisse l'univers dans
lequel son père l'a élevée. À partir de ce moment-là,
elle pose sur son père et le milieu dont il fait partie un
regard méprisant : « Mon père est entré dans la catégorie
des gens simples ou modestes ou braves gens. » (p. 80)

L'auteure-narratrice

L'auteure ne se contente pas de raconter l'histoire de son
père, elle met également en lumière l'histoire de la genèse
de l'œuvre.

À plusieurs reprises, elle interrompt le cours du récit pour
faire part de ses questionnements et difficultés : « J'écris
lentement [...], j'ai l'impression de perdre au fur et à mesure
la figure particulière de mon père. » (p. 45) Le lecteur assiste
ainsi au processus de création littéraire grâce à l'intrusion
des réflexions de l'auteure.

La narratrice s'inscrit dans une dimension temporelle
différente de celle des autres protagonistes, mais il semble
pourtant que s'instaure une forme de communication
entre elle et les personnages par l'intermédiaire de
l'écriture : « J'écris peut-être parce qu'on n'avait plus rien
à se dire. » (p. 84)

CLÉS DE LECTURE

UNE ÉCRITURE DÉPOUILLÉE

Annie Ernaux a consciemment choisi une écriture dépouillée pour raconter la vie de son père afin d'être au plus près de la réalité qu'elle décrit. Dès les premières pages du livre, elle affirme que « pour rendre compte d'une vie soumise » (p. 24), elle ne peut pas se permettre de « prendre le parti de l'art » (*ibid.*). Elle s'abstient donc volontairement de rechercher des effets de style, qui donneraient aux souvenirs racontés une dimension littéraire et esthétique inappropriée, et décide de se concentrer sur la réalité concrète et tangible : « [L]es paroles, les gestes, les goûts de mon père, les faits marquants de sa vie, tous les signes objectifs d'une existence que j'ai aussi partagée. » (*ibid.*)

Dans cette quête d'objectivité, l'auteure s'efface et ne laisse transparaitre aucune émotion : « Naturellement, aucun bonheur d'écrire, dans cette entreprise où je me tiens au plus près des mots et des phrases entendues. » (p. 46) L'écriture, fruit d'une création maitrisée et réfléchie (« J'écris lentement », p. 45) permet à l'auteure de mettre une distance ente elle et son vécu et de s'arracher « du piège de l'individuel » (*ibid.*).

Dénué de lyrisme, le récit est une succession de phrases courtes, souvent elliptiques, qui demandent de la part du lecteur un certain effort pour élucider les contenus implicites. Celles-ci s'enchainent comme une série de clichés instantanés, censés capturer le plus fidèlement possible la réalité.

L'auteure recrée le cadre de cette réalité par :

- l'évocation des sons et des odeurs : « Il y a l'odeur de linge frais d'un matin d'octobre, la dernière phrase du poste qui bruit dans la tête. » (p. 58) ;
- le rappel de phrases entendues par l'auteur à l'époque, représentatives d'une certaine façon de parler et de penser.

Elle condense cette réalité en utilisant uniquement les mots nécessaires :

- beaucoup de phrases sont construites sans verbe et cherchent à résumer plus qu'à expliquer : « Sacralisation obligée des choses » (*ibid.*), « L'ardoise ou le retour à l'usine » (p. 41) ;
- l'absence de pronom personnel sujet suggère l'aliénation du sujet, enfermé dans la routine : « Le dimanche, lavage du corps, un bout de messe, partie de dominos... » (p. 77)

LE MONDE DES PETITS COMMERÇANTS

Le récit d'Annie Ernaux a pour cadre le monde des petits commerçants, auquel ses parents appartiennent avec leur café-alimentation, à la fois lieu de vie et de travail.

Dans l'imaginaire des parents, le petit commerce est un rêve, « le pays de Cocagne » (p. 40). Il représente l'espoir d'échapper à leur condition d'ouvrier et d'accéder à une meilleure considération sociale. En effet, ils sont leurs propres patrons et gèrent tout eux-mêmes. Pour la mère, cela représente une véritable émancipation car elle a un rôle central au sein de l'établissement et s'affirme à travers celui-ci : « Elle était patronne à part entière, en blouse blanche. » (p. 43)

Ils jouissent également d'une certaine reconnaissance dans le village car leur commerce est un lieu central de la vie sociale : « Conscience de mon père d'avoir une fonction sociale nécessaire, d'offrir un lieu de fête et de liberté. » (p. 54) Ils se sentent utiles et cela leur procure un certain sentiment de respectabilité. Conscients d'appartenir à une classe sociale légèrement plus élevée que celle des ouvriers, ils montrent leur supériorité en s'octroyant « le droit de faire la leçon » (p. 43) à ceux qui n'ont pas payé ou qui ont « oublié » l'argent à la maison.

Malgré l'apparente liberté et les avantages que semble offrir le statut de commerçant, les parents d'Annie Ernaux vivent en permanence dans la contrainte et leur commerce leur rapporte peu : « Le café-épicerie de la Vallée ne rapportait pas plus qu'une paye d'ouvrier. » (p. 42) L'émancipation à laquelle ils aspiraient est finalement très limitée. L'angoisse de « manger le fonds » (p. 41), la haine de la concurrence et des clients qui vont voir ailleurs obsèdent les parents et les enferment dans une vision étriquée du monde, réduit à leur estaminet.

Au lieu de leur apporter une ouverture sur le monde, ce dernier les assujettit et les maintient dans une sorte de servilité : « Haine et servilité, haine de sa servilité » (p. 75), « Soirs repliés à compter la recette. » (p. 84) En outre, face à la modernisation de la société et à l'apparition des supermarchés, ils sont impuissants et sont finalement obligés de se résigner à fermer : « Il a commencé d'envisager la vente de leur commerce. » (p. 99) Leur monde de petits commerçants traditionnels appartient au passé et leurs valeurs sont complètement dépassées.

LA CULTURE

Source de complexes chez le père, objet de conquête chez la fille, la culture est un élément essentiel dans le récit d'Annie Ernaux car la rupture de la communication entre le père et la fille est la conséquence d'un fossé culturel.

Dans le monde petit commerçant du père, la culture, au sens noble du terme (littérature, arts, etc.) n'a pas sa place. Le père prend son plaisir dans la sous-culture populaire : les grivoiseries, les films bêtes, le cirque, etc. Ayant passé toute son enfance à la campagne, il associe le mot « culture » au travail de la terre et non pas au spirituel (p. 34).

L'absence d'éducation culturelle chez le père se manifeste à travers son inaptitude à exprimer ce qu'il ressent : « L'émotion qu'on éprouve en entendant un air, devant des paysages, n'était pas un sujet de conversation. » (p. 65) Il se contente d'adopter la position d'un spectateur passif dans sa relation au monde : « Il s'arrêtait devant un beau jardin, des arbres en fleur, une ruche, regardait les filles bien en chair. » (p. 65) Les limites de l'univers dans lequel Annie Ernaux grandit se reflètent également dans la pauvreté du langage, utilisé au premier degré et dépourvu de spiritualité.

Alors que les parents se replient sur leur petit commerce et la routine quotidienne, Annie Ernaux s'ouvre au monde grâce à l'école et à la lecture. Adolescente, elle se réfugie dans sa chambre pour lire, écouter de la musique et étudier. L'accès à la culture et aux valeurs bourgeoises bouleverse sa vision du monde et modifie complètement son regard sur le milieu d'où elle vient : « Tout ce que j'aimais me semble péquenot » (p. 79), « L'univers pour moi s'est retourné. » (*ibid.*)

L'émancipation intellectuelle de la fille complexe le père, qui se sent dépassé, et provoque une rupture du lien familial. Au lieu de s'intéresser aux études de sa fille, le père s'enferme dans l'indifférence et renie d'autant plus la culture : « Les livres, la musique, c'est bon pour toi. Moi je n'en ai pas besoin pour vivre. » (p. 83) Sure de sa supériorité, la fille adopte une attitude de mépris envers son père et ce qu'il représente : « Mon père est entré dans la catégorie des gens simples… » (p. 80)

BIOGRAPHIE ET/OU AUTOBIOGRAPHIE

La Place est une biographie dans le sens où Annie Ernaux raconte la vie de son père, mais son rôle de fille et son intrusion dans le récit en tant que narratrice apportent un caractère autobiographique à l'œuvre.

Bien que le père soit le sujet central du livre, l'auteure se limite à nous offrir une vision superficielle de cet homme. Le but d'Annie Ernaux n'est pas de rendre compte de la vie d'un homme dans tout ce qu'elle a de singulier, mais au contraire de montrer, à travers le récit des faits et gestes de son père, l'expression d'« une vie soumise à la nécessité » (p. 24). Elle neutralise donc au maximum tout ce qui aurait un rapport avec un vécu émotionnel et personnel pour se concentrer sur l'essentiel : « Tous les signes objectifs d'une existence que j'ai aussi partagée. » (*ibid.*)

À travers ce portrait dénué de toute reconstitution psychologique, elle espère dévoiler « la trame significative d'une vie dans un ensemble de faits et de choix » (p. 45) et atteindre un archétype sociologique. Plutôt que de compter sur ses souvenirs, elle fixe son attention sur des éléments révélateurs du milieu social de son père : « C'est dans la manière dont les gens s'assoient et s'ennuient dans les salles d'attente, interpellent leurs enfants, ... » (p. 100) À travers la biographie du père, Annie Ernaux élabore une étude du milieu historique et social dans lequel elle a grandi.

Malgré l'apparente neutralité que l'auteure veut donner à son récit, l'émotion est cependant loin d'être absente. En écrivant sur son père, elle ne poursuit pas seulement une visée documentaire, elle a également un objectif personnel lié à son vécu : « J'ai fini de mettre au jour l'héritage que j'ai dû déposer au seuil du monde bourgeois et cultivé quand j'y suis entrée. » (p. 111) Grâce à l'écriture, Annie Ernaux revient sur un moment difficile de son adolescence : la rupture avec son père. Par l'expression de son moi déchiré, elle met une distance sur ce qu'elle a vécu et se libère en quelque sorte du sentiment de culpabilité lié à cette séparation. La traduction de ses parents en mots est aussi un moyen de se les réapproprier, de restaurer une communication familiale perdue.

PISTES DE RÉFLEXION

QUELQUES QUESTIONS POUR APPROFONDIR SA RÉFLEXION...

- Au début du livre, Annie Ernaux annonce qu'elle n'a « pas le droit de prendre le parti de l'art » (p. 24) pour raconter la vie de son père. Pourquoi l'auteure rejette-t-elle l'art et comment son écriture reflète-t-elle ce choix ?
- Annie Ernaux a dit au sujet de son écriture autobiographique :

> Le « Je » que j'utilise me semble une forme impersonnelle, à peine sexuée, quelquefois même plus une parole de « l'autre » qu'une parole de « moi » : une forme transpersonnelle en somme. Il ne constitue pas un moyen de m'autofictionner, mais de saisir, dans mon expérience, les signes d'une réalité. (ErnauxA., «Vers un Je transpersonnel »)

En quoi *La Place* s'inscrit-elle dans cette même démarche ?

- Comment le rapport des personnages au langage construit-il leur vision du monde ?
- En quoi la vie des parents d'Annie Ernaux est-elle « une vie soumise à la nécessité » (p. 24) ? Comment l'auteure traduit-elle cette aliénation ?
- Pourquoi l'auteure ne laisse-t-elle pas de place à l'émotion dans son récit ?
- Commentez le titre du livre : *La Place*.

- Peut-on dire que le sentiment de culpabilité de l'auteure est à l'origine de l'écriture de ce livre ?
- Analysez la dimension universelle de ce récit.
- Selon vous, *La Place* est-elle une biographie ou une autobiographie ?
- Montrez l'influence de la sociologie dans l'œuvre d'Annie Ernaux.

POUR ALLER PLUS LOIN

ÉDITION DE RÉFÉRENCE

- Ernaux A., *La Place*, Paris, Gallimard, coll. « Folio », 1986.

ÉTUDES DE RÉFÉRENCE

- Ernaux A., « Vers un Je transpersonnel », *RITM*, Université Paris X, n°6, 1994.
- Savéan M-F., La Place *et* Une femme, Paris, Gallimard, coll. « Foliothèque », 1994.

SUR LEPETITLITTÉRAIRE.FR

- Fiche de lecture sur *Une femme* d'Annie Ernaux

Retrouvez notre offre complète sur lePetitLittéraire.fr

- des fiches de lectures
- des commentaires littéraires
- des questionnaires de lecture
- des résumés

ANOUILH
- Antigone

AUSTEN
- Orgueil et Préjugés

BALZAC
- Eugénie Grandet
- Le Père Goriot
- Illusions perdues

BARJAVEL
- La Nuit des temps

BEAUMARCHAIS
- Le Mariage de Figaro

BECKETT
- En attendant Godot

BRETON
- Nadja

CAMUS
- La Peste
- Les Justes
- L'Étranger

CARRÈRE
- Limonov

CÉLINE
- Voyage au bout de la nuit

CERVANTÈS
- Don Quichotte de la Manche

CHATEAUBRIAND
- Mémoires d'outre-tombe

CHODERLOS DE LACLOS
- Les Liaisons dangereuses

CHRÉTIEN DE TROYES
- Yvain ou le Chevalier au lion

CHRISTIE
- Dix Petits Nègres

CLAUDEL
- La Petite Fille de Monsieur Linh
- Le Rapport de Brodeck

COELHO
- L'Alchimiste

CONAN DOYLE
- Le Chien des Baskerville

DAI SIJIE
- Balzac et la Petite Tailleuse chinoise

DE GAULLE
- Mémoires de guerre III. Le Salut. 1944-1946

DE VIGAN
- No et moi

DICKER
- La Vérité sur l'affaire Harry Quebert

DIDEROT
- Supplément au Voyage de Bougainville

DUMAS
- Les Trois Mousquetaires

ÉNARD
- Parlez-leur de batailles, de rois et d'éléphants

FERRARI
- Le Sermon sur la chute de Rome

FLAUBERT
- Madame Bovary

FRANK
- Journal d'Anne Frank

FRED VARGAS
- Pars vite et reviens tard

GARY
- La Vie devant soi

GAUDÉ
- La Mort du roi Tsongor
- Le Soleil des Scorta

GAUTIER
- La Morte amoureuse
- Le Capitaine Fracasse

GAVALDA
- 35 kilos d'espoir

GIDE
- Les Faux-Monnayeurs

GIONO
- Le Grand Troupeau
- Le Hussard sur le toit

GIRAUDOUX
- La guerre de Troie n'aura pas lieu

GOLDING
- Sa Majesté des Mouches

GRIMBERT
- Un secret

HEMINGWAY
- Le Vieil Homme et la Mer

HESSEL
- Indignez-vous !

HOMÈRE
- L'Odyssée

HUGO
- Le Dernier Jour d'un condamné
- Les Misérables
- Notre-Dame de Paris

HUXLEY
- Le Meilleur des mondes

IONESCO
- Rhinocéros
- La Cantatrice chauve

JARY
- Ubu roi

JENNI
- L'Art français de la guerre

JOFFO
- Un sac de billes

KAFKA
- La Métamorphose

KEROUAC
- Sur la route

KESSEL
- Le Lion

LARSSON
- Millenium I. Les hommes qui n'aimaient pas les femmes

LE CLÉZIO
- Mondo

LEVI
- Si c'est un homme

LEVY
- Et si c'était vrai...

MAALOUF
- Léon l'Africain

MALRAUX
- La Condition humaine

MARIVAUX
- La Double Inconstance
- Le Jeu de l'amour et du hasard

MARTINEZ
- Du domaine des murmures

MAUPASSANT
- Boule de suif
- Le Horla
- Une vie

MAURIAC
- Le Nœud de vipères

MAURIAC
- Le Sagouin

MÉRIMÉE
- Tamango
- Colomba

MERLE
- La mort est mon métier

MOLIÈRE
- Le Misanthrope
- L'Avare
- Le Bourgeois gentilhomme

MONTAIGNE
- Essais

MORPURGO
- Le Roi Arthur

MUSSET
- Lorenzaccio

MUSSO
- Que serais-je sans toi ?

NOTHOMB
- Stupeur et Tremblements

ORWELL
- La Ferme des animaux
- 1984

PAGNOL
- La Gloire de mon père

PANCOL
- Les Yeux jaunes des crocodiles

PASCAL
- Pensées

PENNAC
- Au bonheur des ogres

POE
- La Chute de la maison Usher

PROUST
- Du côté de chez Swann

QUENEAU
- Zazie dans le métro

QUIGNARD
- Tous les matins du monde

RABELAIS
- Gargantua

RACINE
- Andromaque
- Britannicus
- Phèdre

ROUSSEAU
- Confessions

ROSTAND
- Cyrano de Bergerac

ROWLING
- Harry Potter à l'école des sorciers

SAINT-EXUPÉRY
- Le Petit Prince
- Vol de nuit

SARTRE
- Huis clos
- La Nausée
- Les Mouches

SCHLINK
- Le Liseur

SCHMITT
- La Part de l'autre
- Oscar et la Dame rose

SEPULVEDA
- Le Vieux qui lisait des romans d'amour

SHAKESPEARE
- Roméo et Juliette

SIMENON
- Le Chien jaune

STEEMAN
- L'Assassin habite au 21

STEINBECK
- Des souris et des hommes

STENDHAL
- Le Rouge et le Noir

STEVENSON
- L'Île au trésor

SÜSKIND
- Le Parfum

TOLSTOÏ
- Anna Karénine

TOURNIER
- Vendredi ou la Vie sauvage

TOUSSAINT
- Fuir

UHLMAN
- L'Ami retrouvé

VERNE
- Le Tour du monde en 80 jours
- Vingt mille lieues sous les mers
- Voyage au centre de la terre

VIAN
- L'Écume des jours

VOLTAIRE
- Candide

WELLS
- La Guerre des mondes

YOURCENAR
- Mémoires d'Hadrien

ZOLA
- Au bonheur des dames
- L'Assommoir
- Germinal

ZWEIG
- Le Joueur d'échecs

Et beaucoup d'autres sur lePetitLittéraire.fr

www.lepetitlitteraire.fr

ISBN version imprimée : 978-2-8062-1117-0
ISBN version numérique : 978-2-8062-1972-5
Dépôt légal : D/2013/12.603/335

Made in the USA
Middletown, DE
24 September 2018